Troooooooooop
long !

Visitez notre site ça peut être très court,
mais jamais troooooooooop long ! :
www.soulieresediteur.com

Du même auteur
Chez le même éditeur
Dans la même collection:

C'est parce que..., roman (épuisé), 1999
Les trois bonbons de monsieur Magnani,
roman, 2002
Une tonne et demie de bonbons, roman, 2010

Pour les adolescents
La Guerre des lumières, roman, 2003
(réédition 2011)
Taxi en cavale, roman, 1992, réédité en 2005
Quand la vie ne suffit pas, recueil de nouvelles,
2006, Grand prix du livre de la Montérégie
2007, Prix du public et Prix du jury

Aux éditions Pierre Tisseyre
La Guéguenille, recueil de nouvelles, 1994
Trois séjours en sombres territoires, recueil de
nouvelles, 1996, nouvelle édition 2009
Un si bel enfer, roman, 1993, nouvelle édition
2009

Trooooooooooop long !

un roman écrit par Louis Émond
et illustré par Julie Miville

SOULIÈRES ÉDITEUR

case postale 36563 — 598, rue Victoria
Saint-Lambert (Québec) J4P 3S8

Soulières éditeur remercie le Conseil des Arts du Canada et la SODEC de l'aide accordée à son programme de publication et reconnaît l'aide financière du gouvernement du Canada par l'entremise du Programme d'Aide au Développement de l'Industrie de l'Édition (PADIÉ) pour ses activités d'édition. Soulières éditeur bénéficie également du Programme de crédit d'impôt pour l'édition de livres – Gestion Sodec – du gouvernement du Québec.

Dépôt légal : 2011
Bibliothèque nationale du Canada
Bibliothèque et Archives nationales du Québec

Catalogage avant publication de Bibliothèque et Archives Canada

Émond, Louis, 1957

    Trop loooooooooooong !

    (Ma petite vache a mal aux pattes ; 104)

    Pour enfants de 6 ans et plus.

    ISBN 978-2-89607-134-0

    I. Miville, Julie. II. Titre. III. Collection :
Collection Ma petite vache a mal aux pattes ; 104.
PS8559.M65T76 2011   jC843'.54 C2011-940840-6
PS9559.M65T76 2011

Conception graphique de la couverture :
Annie Pencrec'h

Logo de la collection :
Caroline Merola

À ma filleule Lou que j'adore,
et qui m'a inspiré cette histoire.

Tout de suite ou… maintenant

Zou n'aime pas attendre.

Pas du tout.

Quand elle a envie d'une chose, elle la veut tout de suite.

Ou maintenant.

Zou ne s'appelle pas Zou pour rien. Mais elle ne s'appelle pas Zou pour vrai, non plus. Pour vrai, elle s'appelle Élise.

Toutefois, pour la plupart des

gens, un seul prénom, c'est rare-
ment assez. Alors on leur en
donne d'autres. Pour Élise, c'est
pareil. Elle a été Élisou, Lisou,
Zizou, Zouzou, avant d'être Zou.
Juste Zou. Plus court : plus vite
dit.

La maman de Zou, qui vient du sud de la France, lui a dit que là-bas, « zou » signifie « dépêche-toi ». *Dépêche-toi* comme surnom pour une petite fille qui n'aime pas attendre, c'est idéal.

Zou aime beaucoup son surnom.

Mais elle n'aime pas attendre.

Et s'il existe un moment dans l'année où elle aime encore moins attendre que d'habitude, c'est celui qui précède Noël. Zou trouve qu'attendre Noël est plus insupportable qu'attendre son anniversaire, les vacances d'été et l'Halloween réunis.

— Attendre Noël, c'est la torture la plus cruelle de la vie, estime Zou. Et encore plus cette année…

Cette année, Zou a appris l'existence d'une merveille, d'une splendeur, d'un trésor : une poupée qui parle. Baptisée aussitôt « le plus beau cadeau du monde », elle a décidé que c'était ce qu'elle voulait et l'a demandée au père Noël.

Depuis, Zou n'a qu'une idée en tête : Noël, comment y arriver plus vite ?

Chaque fois qu'elle passe devant son calendrier, elle ajoute au crayon un minuscule millimètre au trait qui, le soir, rayera entièrement la date du jour. Elle s'arrête aussi devant l'horloge

de l'entrée et, fixant l'aiguille des secondes, saute à pieds joints en murmurant : « Va plus vite ! Va plus viiiiiiiiiiite ! »

Incapable de rester en place, Zou cherche la manière d'être plus rapidement rendue à demain, pour arriver à demain, puis à l'autre demain, puis à l'autre, et ainsi de suite jusqu'à Noël.

Alors seulement acceptera-t-elle de s'asseoir. Et ce sera pour écouter les secrets que sa poupée lui confiera, les opinions qu'elle émettra à propos de tout et les réponses qu'elle donnera aux questions que Zou ne manquera pas de lui poser.

C'est la plus merveilleuse des poupées. C'est celle que veut Zou. Et elle la veut maintenant.

Maintenant, alors qu'il reste encore six interminables jours avant Noël.

— Six jours, se plaint-elle, c'est beaucoup trooooooooooop long !

Ce matin, elle a donc fait ce que toute jeune fille de l'âge de Zou fait quand elle a un problème qui semble sans solution. Elle a pris le téléphone et elle a appelé son grand-père Mage à la rescousse.

Mais ce que son papy lui a appris l'a beaucoup, beaucoup déçue.

Un sage conseil
de papy Mage

—Personne n'y peut rien, ré -
pond son papy Mage.

Le vrai nom de son papy est
Gaspard. Mais quand Zou a
appris que c'était aussi celui de
l'un des rois mages, elle l'a sur-
nommé papy Mage.

—C'est impossible d'accélérer le temps, poursuit son grand-
papa. Il faudra faire comme tout

le monde, ma Zou, et attendre sagement Noël. Après tout, ce n'est que dans six jours.

À l'autre bout du fil, Zou manque de s'étouffer.

—Quoi ? Ah non! Noël n'est pas que dans six jours, papy. Noël arrive dans dix-huit repas sans les collations. Noël, c'est dans vingt-quatre récréations en comptant celles du matin et du midi. Noël ne sera là que dans des tonnes et des tonnes d'heures, dans une montagne de minutes, dans un océan de secondes. C'est beaucoup, beau-coup trooooooooooop long !

Son grand-père lui donne alors un conseil : dormir.

—Quand on dort, explique-t-il, le temps passe beaucoup plus vite. Moi, quand je regarde mes fraisiers qui gèlent sous leur bâche, ma pelouse qui grisonne et le ciel sans oiseau, autrement dit, quand je m'ennuie, je pique un somme. Je dérobe ainsi parfois une, parfois deux heures à la longue attente d'un événement heureux. Comme une visite de ma Zou préférée, par exemple, que je n'ai pas vue depuis un moment.

Zou remercie son grand-père du conseil. Elle promet que, dès qu'elle aura une minute, elle lui rendra visite en compagnie d'Alice Blabla, la poupée qui parle.

Elle se précipite ensuite dans sa chambre et se glisse dans son lit. Elle est à deux respirations de s'endormir quand sa maman lui rappelle qu'elle doit partir pour l'école.

— L'autobus sera là d'un instant à l'autre, chérie !

Zut !
Elle a oublié ce détail.
L'école.
C'est vrai qu'il faut y aller.
Tant pis, Zou dormira là-bas.

Un rêve assommant

Quelques minutes plus tard, elle monte à bord de l'autobus scolaire.

En avançant dans l'allée centrale, elle entend des voix qui l'invitent à s'asseoir ici, à s'asseoir là. Mais elle refuse.

Elle ne s'assoit ni avec Pomme ni avec Mia, ses deux très bonnes amies. Elle décline même l'invitation du beau Théo dont elle est parfois amoureuse.

À chacun, elle fait la même réponse : « Désolée ! Il faut que je dorme pour que Noël arrive plus vite. » C'est ainsi qu'elle se rend au dernier banc. Là, à la grande surprise de Pomme, de Mia, de Théo, de Gramoun et de Keran, elle s'étend de tout son long, pose la tête sur son sac d'école et ferme les yeux.

Instantanément, Zou s'endort.

Et rêve.

Elle rêve qu'elle est entourée de poupées qui parlent. Elle est envahie. Submergée. Elles sont partout : autour d'elle, par-dessus, en dessous, partout. Elles lui posent mille questions, lui prodiguent mille conseils, chantent des chansons étranges et rient de leur voix aigrelette. Zou ne sait plus à qui prêter l'oreille.

19

Ni où donner de la tête.

Tout à coup, une des roues de l'autobus scolaire s'enfonce dans un nid-de-poule. Le véhicule tressaute et Zou va donner de la tête contre la paroi. Elle se réveille aussitôt et découvre une demi-douzaine de visages autour d'elle, par-dessus, en dessous, partout. Ses amis.

Sourire aux lèvres et les yeux encore pleins de sommeil, elle demande : « Est-ce que c'est Noël ? »

Pomme et Mia s'inquiètent. Le coup que Zou a reçu sur la tête aurait-il été trop fort ?

Théo se penche sur son amie.

— Non, dit-il. Noël, c'est dans six jours.

—Mais… Combien de temps ai-je dormi ? demande Zou, affolée.

—À peine une minute, répond Gramoun, un grand garçon à la peau noire qui vient de très, très loin.

—Une minute ? Mais… mon rêve a semblé durer des heures et des heures !

—Quand on dort, réplique Keran qui sait tout sur tout, le temps semble plus long qu'en réalité. Dans le magazine *Puits de science,* on dit qu'un rêve qui semble avoir duré des heures et des heures n'a duré en réalité que quelques secondes.

—Dans *Puits de science ?* Mais alors… papy Mage s'est trompé !

Zou regarde devant elle, l'air affolé.

—Je dois rester éveillée, sinon le temps va passer mille fois trop lentement.

—Évidemment, répond Keran. Pour un dormeur, chaque minute semble durer une heure.

— Une heure ? Pour un dormeur ? Quelle horreur ! s'exclame Zou.

Le temps sur
« avance rapide »

La journée se traîne aussi lentement qu'une tortue avec des
béquilles et une carapace en
plomb. Zou grince des dents et
tapote des doigts en suivant la
course de la trotteuse sur l'horloge de la classe.

— Mais elles le font toutes
exprès, ronchonne-t-elle. D'abord,
l'aiguille des secondes sur l'hor-

loge chez moi, puis celle sur le chrono du gymnase et même celle sur la montre de Jean-François Pellerin ! Elles vont toutes trooooooooooop lente-ment…

Zou tente différentes expériences dans l'espoir que le temps se mette à passer plus vite. Ainsi, elle essaie de retenir son souffle le plus longtemps possible et, à plusieurs reprises, manque de perdre connaissance.

Quand sonne la cloche de la récréation, son record s'établit toujours à 43 secondes, et elle n'arrive plus à l'abaisser.

Dans la cour d'école, alors qu'elle cherche à imaginer de nouvelles expériences, la voix d'un grand garçon aux cheveux blonds attire son attention. Elle l'entend raconter à ses copains que, la veille, il a regardé un film tellement bon…

—… que la première chose que j'ai sue, c'est qu'il était terminé et qu'il était passé neuf heures. C'était un film bourré d'action, avec des méchants, des trahisons, des poursuites et surtout, des bagarres. Quand la fin est arrivée, j'aurais voulu que ça continue. Et pourtant, il dure presque trois heures, ce film. J'aurais juré qu'il avait duré quinze ou vingt minutes, pas plus.

Le sang de Zou ne fait qu'un tour.

Elle se précipite sur le garçon et, bien qu'il s'agisse d'un grand, l'attrape par le revers de son manteau et exige qu'il lui révèle sur-le-champ le titre de ce chef-d'oeuvre. Si trois heures ne durent que quinze minutes en regardant ce film, trois jours ne dureront que quelques heures… et six jours, à peine un peu plus.

Merveille des merveilles !

Le soir, elle irait au club vidéo louer *Traquenard pour deux lascars* et ainsi, la soirée passerait à vitesse grand V.

Et la suivante.

Et la suivante aussi.

Et la suivante pareillement.

Le DVD magique

Zou passe le reste de la journée à rêver que des anges pous-
sent sur les aiguilles de l'horloge
pour les faire avancer plus vite.
De temps à autre, elle pose la
tête sur son pupitre et souffle sur
les pages de son livre afin de
les faire tourner toutes seules.

—On ne sait jamais…, pense-
t-elle. Dans les émissions de
télévision, les pages d'un livre

tournent toutes seules quand le temps passe vite.

La cloche retentit enfin : l'école est finie pour la journée.

Comme d'habitude, dans l'autobus, Zou fait chanter ses amis.

— *Conducteu-eur ! Conducteur ! Dormez-vous ? Dormez-vous ? Pesez donc su' l'gaz ! Pesez donc su' l'gaz ! Ça marche pas, ça marche pas !*

Comme d'habitude, le conducteur ne dort pas, ne pèse pas sur l'accélérateur, et Zou arrive à la maison à la même heure que chaque jour.

À peine revenu du bureau, son papa voit un ouragan aux cheveux noirs lui sauter au cou. Le couvrant de baisers, l'ouragan lui demande d'aller vite, vite, vite chercher le film *Traquenard pour deux lascars* au club vidéo.

—Demande acceptée, dit-il, à condition de laisser Grenouille, ta soeur, se choisir un film, elle aussi.

Zou aime beaucoup sa soeur Grenouille qui a trois ans de moins qu'elle. Aussi, accepte-t-elle de bon coeur.

Comme on s'en doute, Grenouille n'est pas non plus le vrai nom de la soeur de Zou. Mais l'histoire de ce surnom est un peu longue à raconter. Or, comme Zou nous le ferait elle-même remarquer, en ce moment, nous sommes assez pressés.

Ce sera donc pour une autre fois.

Au club vidéo, Zou repère tout de suite *Traquenard pour deux lascars* et apporte le coffret à son papa. Mais Grenouille, elle, hésite entre plusieurs films de Noël. D'abord, elle a envie de regarder *Dans l'arène avec un nez rouge* puis *Les comptes de Noël*, mais la comédie *J'ai vu maman embarrasser le Père Noël* l'intéresse également. Elle pose, prend, repose, reprend, chipote, soupèse, étudie, réfléchit, examine, alors que Zou, se contentant d'un seul verbe, trépigne.

— Tout ce temps passé en temps réel, soupire-t-elle, alors que je pourrais l'accélérer en regardant *Traquenard pour deux lascars...*

Finalement, Grenouille, qui a longuement posé, pris, reposé, repris, analysé, évalué, etc., choisit la comédie policière *Entre le boeuf et l'âne,* et tout le monde rentre à la maison, ravi.

Grenouille regarde son film en rigolant tout le long.

Quand arrive son tour, Zou pousse un soupir de soulagement.

— Pas trop tôt ! marmonne-t-elle en se cramponnant aux bras du fauteuil.

Mais alors, l'imprévisible se produit.

Lentes heures

À peine dix minutes de pétarades et de bagarres ont-elles passé que Zou, la fille qui veut faire passer le temps à toute vitesse, s'ennuie déjà.

À mourir.

C'est toujours la même histoire qui se répète. Les gentils récupèrent une espèce de bombe ou de rayon super puissant que les méchants trouvent le moyen de leur reprendre. Les bons et les méchants se bagarrent et les méchants s'échappent avec l'invention de malheur. Bien entendu, les héros les poursuivront sans relâche en hélicoptère, en motoneige, en bateau à vapeur et à trottinette. Chaque fois, ils récupéreront l'espèce de bombe ou de rayon super puissant, mais les méchants trouveront chaque fois le moyen de le leur reprendre et s'ensuivront d'autres poursuites en autobus, en draisine[1], en vélocipède, en montgolfière, en scaphandre... C'est déprimant à la longue !

Le film, qui dure deux heures et quarante-trois minutes, semble s'étirer sur quarante-trois heures et deux minutes pour la pauvre

---

1. Wagonnet utilisé pour la surveillance et l'entretien des voies des chemins de fer.

Zou. Histoire de passer le temps, elle fait des mots-croisés durant les poursuites, se nettoie les ongles durant les bagarres et, entre les deux, lit son horoscope et celui de ses amis dans un exemplaire du *Séjour* vieux de deux ans.

Voyant que sa soeur ne jette qu'un oeil distrait à ce qui se passe sur l'écran, Grenouille lui offre de jouer plutôt avec elle à *Mon oncle poli*.

Rien à faire. Zou n'en démord pas. Un grand l'a assuré que ce film faisait passer le temps très vite et les grands savent de quoi ils parlent.

Mais quand le film se termine enfin, Zou est installée sur le divan, les jambes sur le dossier, la tête en bas, et elle dessine des ronds imaginaires dans le tapis.

Elle se lève, marche jusqu'au lecteur, récupère le DVD et le remet dans le coffret avec au coeur un sentiment fort désagréable.

Celui d'avoir été roulée. Bernée. Flouée.

La nuit venue, Zou dort très mal.

Zou sur le ring

Le lendemain, tout le monde, à l'école, lui trouve une mine affreuse. Croquant dans sa tablette de chocolat, elle répond par une grimace ou une onomatopée comme « Boahff... » ou « Pfffff... ». Mais à la dix-huitième remarque du genre, elle commence à se sentir agacée.

C'est à ce moment qu'elle l'aperçoit. Passant près d'elle,

le grand qui lui a vanté *Traque-nard pour deux lascars* la salue avant de rejoindre son groupe d'amis.

Zou marche à sa rencontre.

Secouant son abondante chevelure blonde, le garçon lui demande comment elle a trouvé sa suggestion. Devant son silence, il ajoute que si elle ne sait pas comment le remercier de ses précieux conseils, elle peut lui offrir un morceau de son chocolat. Comme Zou ne répond toujours pas, il hausse les épaules et déclare que cela lui a fait grand plaisir d'éduquer le goût d'une fillette en matière de film, qu'il a plein d'autres titres à lui recommander et qu'elle ne doit pas hésiter à revenir le voir.

Tout ce temps, Zou le fixe, les yeux remplis de colère.

Au bureau de la directrice de l'école, elle tente de se justifier : le grand s'est moqué d'elle, il lui a recommandé le pire film de la vie. Hélas, rien à faire. À ses côtés, le garçon frotte son tibia. Il a une vilaine éraflure sur le nez et une autre sur la joue. Quant à Zou, elle n'a rien sinon deux touffes de cheveux blonds entre les dents.

Elle passera une partie de la journée assise sur une chaise, sans livre ni revue, sans le moindre passe-temps pour l'aider à tromper son ennui. Cependant, au bout d'un quart d'heure, on lui apporte enfin un bouquin. Sans images. Zou est quand même contente jusqu'à ce que la directrice lui ordonne

de recopier les dix premiers poèmes du livre. Chaque minute lui paraît durer une heure.

Zou se sent très, très déprimée.

Quand elle retourne enfin en classe, la maîtresse annonce que c'est le moment de la dictée. Docilement, Zou sort une feuille de son pupitre, prend son crayon et se prépare à écrire de nouveau. Quand tous les élèves sont prêts, l'enseignante commence la lecture du texte.

—*Pierre regarde… Pieeeerre regaaaaaaaaaaaarde… la volée… laaa… voléééééééée d'oiseaux migrateurs… d'oiiiiiii-seaux miiiiiii-grateu-eu-eu-eurs commencer… com… com… commen-en-en-en-en-cer leur…* (leur dans le sens de *qui est à eux*, n'est-ce pas ? On se comprend ? Parfait !

C'est *leur…* à eux !) *leeeeeeur…* (attention, voici un mot trèèèèèès difficile !) *périlleux… pééééééé-éééééé-riiiiiiiiiiiiiiiii-lleux… yeyee-yeee-yeeee-ye-yeux… leur pé-ril-leux… voyage… voi… voi… voyaaaaaaaaage… voya-ge… voyage… voyage… leur périlleux voyage…*

Ça y est. Zou va devenir folle. Déjà, elle se voit en train de hurler : « Madaaaaame Aaaaaaarchaaaaambaaaaaaaaault ! Lisez le teeeeeeeeeeexte d'un seul cou-ou-ou-oup, qu'on en finiiiiiiiiiiiiiiiiisse ! » Elle s'imagine quitter sa chaise et courir entre les pupitres en envoyant valser les cahiers des élèves et en s'écriant : « Mais pourquoi vous lisez comme une bègue myope ? Pourquoiiiiiiiiiiiiiiiii ? Savez-vous qu'on est trrrrrrrrrrrèèèèèèèèèèès capaaaaaaaableee-

eeeees d'écrire plus qu'un mot à l'heure ! »

Ces images la calment un peu. Elle se remet à écrire.

Lorsque, le printemps venu (d'après Zou), Mme Archambault annonce enfin que la dictée est terminée et posez-votre-crayon-s'il-vous-plaît, Zou jette un oeil dehors.

Il neige. Les arbres sont dé-garnis.

…

Heureusement, on est encore en décembre.

8

Schtkl

Dans l'autobus, Zou est assise à côté de sa copine Pomme. Celle-ci lui raconte une aventure qui lui est arrivée. Or, chaque mot sort de sa bouche au ralenti et chaque phrase s'étire comme de la gomme à mâcher. Son histoire ne se terminera jamais. Jamais.

C'en est trop.

Sans prononcer une parole,

Zou change de banc et s'installe à côté de Schtkl, un garçon aux oreilles minuscules et au nom imprononçable.

Schtkl s'amuse avec un ballon de basket. Il le fait tourner au bout de son index, le frappe du poing, le ramène dans ses mains. Il le fait rouler le long de son avant-bras, bondir sur le siège devant lui, puis sur la tête du garçon assis sur le siège devant lui. Il l'envoie ensuite contre la fenêtre du bus avant de le rattraper pour un dernier tour au bout de ses doigts. C'est fascinant.

À tel point que la première chose que Zou constate c'est qu'elle est arrivée à son arrêt, à deux pas de sa maison. Le temps a filé, vite comme l'éclair !

Le ballon! C'est le ballon qui a fait disparaître les secondes

et les minutes comme il disparaissait lui-même derrière les mains, les jambes et la tête de Schtkl. Elle tient enfin la solution pour faire passer le temps plus vite. Il reste encore cinq jours avant Noël. Cinq longs jours.

Mais cette fois, Zou sait comment elle fera passer le temps plus vite.

À la sortie de l'autobus, elle n'accorde un regard ni à Pomme ni à Mia qui s'éloignent en boudant. Elle court jusqu'à la maison et claironne en ouvrant la porte :

—Maman ! Où sont mes espadrilles ? Je veux faire du sport !

Le sport, c'est la santé !

Le lendemain, Zou se présente sur le terrain de basketball. Elle est vêtue comme il se doit d'un survêtement et de la paire d'espadrilles neuves qu'elle a reçues de son parrain pour son anniversaire.

Confiante que les aiguilles iront aussi vite autour de l'horloge qu'elle-même sur le terrain, la fillette demande si elle peut se joindre à l'une des deux équipes.

On lui assigne celle de Schtkl !

Commence alors pour Zou l'heure la plus longue de toute sa vie !

Bousculée, malmenée, brimée, frustrée, ridiculisée même, elle fait de nombreuses chutes et le ballon lui est continuellement soutiré. Quand elle dribble, elle doit s'arrêter de courir. Quand elle court, elle n'arrive plus à dribbler. Une fois, une seule fois, elle expédiera un tir vers le panier. Le ballon atteindra un joueur adverse en pleine figure, rebondira sur une épaule, sur une main, sur une autre, puis Schtkl, posant deux doigts dessous, fera tournoyer le ballon au-dessus de sa tête et, exécutant un lancer parfait, réussira un panier de trois points. Ce sera le premier panier de l'équipe depuis cinq minutes… grâce à Zou ! Plus ou moins…

Maigre consolation pour une équipe qui tire de l'arrière 88 à 22.

Le reste de la journée passera aussi vite qu'une chenille traversant une couche de ciment frais.

—À ce rythme, jamais je ne me rendrai à Noël, maugrée-t-elle en quittant le gymnase.

Elle a tellement chaud en sortant de l'école qu'elle *oublie* de boutonner son manteau. La fatigue accumulée durant les derniers jours, combinée au froid, au stress et à l'énervement feront que Zou tombera malade.

Les deux jours suivants, elle les passera au lit, à boire du bouillon de poulet et à colorier des images idiotes dans un livre à colorier idiot. Ou à lire les aventures stupides du « héros le plus stupide de la vie ».

Durant ces quarante-huit éternités, Zou se sent très, très, très déprimée.

Mille ans plus tard, elle est de nouveau sur pied.

On est le 23 décembre.

Plus que deux jours avant Noël.

Noël est là?
Déjà?

En ce dernier jour d'école, Zou apporte un cadeau à sa maîtresse. Elle lui remet aussi une carte qu'elle a dessinée elle-même la veille. Elle y a travaillé plus de deux heures. C'est d'ailleurs l'un des rares moments de la semaine où elle a eu l'impression que le temps passait vite. Très vite.

Il faut avouer que même si Mme Archambault donne d'interminables dictées, Zou l'aime beaucoup. Lui dessiner une carte et lui offrir un cadeau l'ont donc rendue particulièrement heureuse.

En fin d'après-midi, Zou rend aussi visite à son grand-père Mage et à sa grand-mère Soie. Heureux d'une telle surprise, son papy lui raconte de longues et belles histoires où il est question des bottes du père Noël, des lutins, de la baguette magique de la fée des étoiles et d'un traîneau enchanté.

Mais ce que Zou préfère par-dessus tout, c'est lorsque son papy lui décrit les Noëls de son enfance. Le vieil homme est à ce point bon conteur que Zou a l'impression de se trouver dans la maison de ses arrière-grands-parents à observer son arrière-grand-mère pendant qu'elle prépare l'oie, roule les abaisses de tartes, confectionne les couronnes de Noël au chocolat et farcit la dinde.

—Il y avait peu de cadeaux sous l'arbre, se souvient papy Mage, mais les murs de la maison craquaient de bonheur.

Le soir, Zou accepte l'offre que lui fait sa soeur Grenouille de jouer avec elle à ses jeux de société. Ses parents se joignent même à elles pour une partie de billes chinoises.

La nuit venue, dans son lit, Zou réfléchit à la journée qui vient de se terminer.

—Le temps passe trop vite quand on a du plaisir. On vou-

drait qu'il ralentisse, et même
qu'il s'arrête…

Tournant cette idée de nombreuses fois dans sa tête, elle
finit par s'endormir.

Le lendemain, Zou passe une grande partie de la journée à dessiner ses cartes et à emballer des cadeaux pour ses parents, sa petite soeur, ses grands-parents ainsi que pour Pomme et Mia. Elle joue aux dames puis aux cartes avec sa soeur. Elle et Zou rigolent chaque fois que l'une ou l'autre reste prise avec la dame de pique, qu'elles ont surnommée « la p'tite vieille ». Elles construisent aussi des châteaux de cartes qu'elles finissent par détruire dans un grand éclat de rire quand ils ne s'écrasent pas tout seuls...

Au creux de son lit, Zou regarde le ciel noir par la fenêtre de sa chambre. Elle se dit que cette veille de Noël a passé bien vite. Bien trop vite.

Le matin du 25 décembre arrive enfin.

Sous l'arbre, Zou découvre sa fameuse poupée qui parle. Contrairement à son habitude, elle a pris tout son temps pour ouvrir la boîte.

C'est bien Alice Blabla !

Zou ressent une telle joie qu'elle ne trouve rien à dire.

Elle serre Alice Blabla contre elle et, se souvenant qu'elle sait aussi écouter, elle lui fait une première confidence.

— Secret numéro un de Zou à Alice Blabla, commence-t-elle. Je sais comment faire passer le temps rapidement.

Elle en profite pour lui révéler aussi que les grands ne savent pas tout (secret numéro deux), que les rêves ne durent que quelques secondes (secret numéro trois) et que le sport donne le rhume (secret numéro quatre).

Elle se couche par terre avec sa poupée et, du coin de l'oeil, observe ses parents.

Le visage tourné vers le sapin, son père est dans la lune. Zou revoit les yeux d'un tout petit garçon sur une photo en noir et blanc. Celui-ci vide son bas de Noël aux pieds d'un papy Mage encore très jeune.

Puis, Zou regarde sa maman qui sourit en déballant un cadeau. Son sourire est le même que celui qu'elle avait autrefois, debout devant son tricycle rouge.

Au souper, Zou remarque que ses grands-parents affichent le même air de gaieté rêveuse qu'elle a vu sur le visage de ses parents, de ses amies et même de Mme Archambault quand elle a reçu son cadeau.

Profitant d'un instant où elle est seule au salon, Zou admire le grand sapin en enlaçant sa poupée.

— Secret numéro cinq, Alice : à Noël, les papas, les mamans, les papys et les mamies ont des yeux d'enfants, des sourires d'enfants, des visages d'enfants. C'est comme ça. Le passé n'existe plus. Ou bien le passé revient dans le présent.

Zou réfléchit un moment.

— Tu sais ce que ça signifie *présent*, Alice ? demande-t-elle. Ça veut dire *aujourd'hui*, *en ce moment*, ça veut dire *tout de suite*. Ou *maintenant*. Ça dure vraiment pas longtemps, le présent.

Puis, approchant son visage de celui d'Alice, elle murmure :

— Et tu sais quoi d'autre, Alice Blabla ? *Présent,* ça veut aussi dire *cadeau*.

11

Un appel important

Le lendemain matin, alors que Zou et Grenouille s'apprêtent à aller jouer dehors, la sonnerie du téléphone retentit. La maman de Zou répond puis, au bout d'un court instant, elle tend l'appareil à sa grande fille.

—C'est pour toi, Zou, dit-elle. C'est ton papy Mage.

Intriguée, Zou s'empare de l'appareil.

— Allô ?

— Allô, ma Zou ! résonne aussitôt la voix de son grand-père. Écoute, je voulais te dire...

Zou attend la suite.

— ... je voulais te dire... qu'il ne reste que 364 jours avant Noël ! Courage, ma belle Zou !

LOUIS ÉMOND

 Avec le temps, Louis Émond a appris la patience. Il a compris, comme les campeurs et les Indiens, que le plaisir est aussi dans l'attente.

Il sait que se préparer à un événement heureux fait partie du bonheur que procurera l'événement. Par exemple, ce livre, Trooooooooooop long !, ça fait deux ans que Louis attend de le voir publié. Deux ans ! Vingt-quatre mois ! Cent quatre semaines ! Sept cent trente jours ! Des montagnes d'heures ! Des océans de minutes ! Des galaxies de secondes ! C'était vraiment trooooooooooop long ! A-t-il fait comme Zou ? A-t-il cherché à accélérer le temps ? Pas du tout ! Il en a profité pour le lire et le relire, pour corriger ses fautes, pour enlever presque toutes les farces plates afin de le rendre prêt à recevoir les belles illustrations de Julie Miville. C'est ça, un auteur mature. Mais maintenant… il n'a qu'une idée en tête : voir enfin les illustrations de Julie !

C'est quand, elle va les avoir finies, c'est quaaaaaaaaaaand ?

JULIE MIVILLE

Éducatrice spécialisée et amoureuse des enfants avant tout, c'est par la peinture que Julie Miville s'exprime le mieux. Au début des années 2000, elle donne naissance aux *Affreux*, de colorés personnages qui seront peints sur tous les supports possibles.

En 2010, la bande dessinée s'inscrit dans le parcours de l'artiste. Julie Miville illustre plusieurs albums dont notamment *Patof le Clown* et *Les Affreux* à partir des personnages qu'elle a inventés. Julie participe régulièrement à différents événements en arts visuels et anime des ateliers de création pour les jeunes.

PROTÉGEONS
NOS FORÊTS

Ce livre a été imprimé sur du papier Sylva enviro
100 % recyclé, traité sans chlore, accrédité Éco-Logo
et fait à partir d'énergie biogaz.

Achevé d'imprimer
sur les presses de Marquis Imprimeur
à Cap-Saint-Ignace
en août 2011

(et ça, c'est bien longtemps avant Noël !)